EXERCICES AU-DESSUS DU VIDE

LISE HAROU

Exercices
au-dessus du vide

récits

LES HERBES ROUGES

Éditions LES HERBES ROUGES
3575, boul. Saint-Laurent, bureau 304
Montréal (Québec) H2X 2T7
Téléphone : (514) 845-4039

Illustration de couverture : Jean-Marc LeBel
Photo de l'auteure : Gloria Escomel
Photocomposition : Sylvain Boucher

Distribution : Diffusion Dimedia inc.
539, boulevard Lebeau
Saint-Laurent (Québec) H4N 1S2
Téléphone : (514) 336-3941; télex: 05-827543

Dépôt légal : troisième trimestre 1991
Bibliothèque nationale du Québec
Bibliothèque nationale du Canada

Pour elle,
dans l'agitation fébrile
de la survie

Avec chaque jour qui vient, la vie, le travail, la fatigue, la mort. Les arbres, les villes, les paysages. Les êtres qu'on porte en soi, la pensée, épuisante, qui veille à tout. La contemplation et les déceptions. La dévoration de ce que l'Histoire a produit : la musique, la peinture, l'écriture. Le fait de respirer au-dessus du gouffre pressenti mais jamais nommé. La peur, l'audace, en pure perte la plupart du temps. Des exercices au-dessus du vide.

L'existence, simplement, à la fois tellement trop grande et trop étriquée pour soi qu'on ploie sous le fardeau, sa splendeur n'ayant d'égale que son ingratitude même. Se redresser. La seule certitude réside dans le manque absolu d'assurance. Le vide, familier, le vertige. Une fatalité capricieuse, implacable. L'être, quel qu'il soit, seul avec lui-même, livré pieds et poings liés à la prolifération quotidienne de l'imaginaire.

Exercices

Découvrir un soir tard qu'à force de fuir l'émotion à tout prix, on ne pourra jamais la traduire qu'à son corps défendant. Comment trouver, organiser la solitude qu'on fuit, alors que c'est celle-là précisément qu'il faudrait ? Arrêter les horloges. Faire taire les sonneries. Se pencher un après-midi sur les tulipes du jardin. N'avoir qu'elles au monde. Ou regarder voler draps, vêtements et rideaux sur les cordes à linge qui convergent vers la ruelle, singulière toujours, ensoleillée parfois. Voir la chemise de nuit blanche s'enfler dans le vent, énormément, jusqu'à ressembler à la robe d'un personnage de Pol Pelletier faite de poupées cousues. Mais comment susciter et saisir cet instant-là ? Comment choisir ce morceau de réalité dans l'immensité du monde plutôt que de tuer le temps ? Comment naviguer à travers le reste pour cette seconde de sérénité ?

Et tout ce qu'il faut panser ? Et les plantes qui ont besoin d'eau ? Et les bêtes qui veulent manger ? Et ce qui meurt en ce moment même car la vie ne tient qu'à un fil ? Et ce qui va périr faute d'être entretenu ?

La maison est glaciale si on laisse les fenêtres ouvertes pendant la nuit. Elle est étouffante si on les a laissées fermées. Fait-il vraiment chaud ? Vraiment froid ? Le sait-on jamais quand, enfermée en soi-même, on est figée par l'effroi, le dégoût, quoi d'autre ? L'enchantement, qui lui aussi fait peur par son intensité. Comment trancher dans le vif et dire si oui ou non on a faim ou sommeil ? L'air, l'appétit et le besoin de dormir s'éparpillent lorsqu'on perd son chemin, c'est bien connu. Mais quel chemin ? Comment se fait-il que même en avançant droit vers son désir, on soit continuellement harcelée par le désespoir, hantise folle mais aussi, sans doute, tentation désabusée du bonheur. Inquiétude terrible devant le miroitement de ce qui serait trop beau ou trop grandiose pour soi. Pourquoi trop ? Allez donc savoir… Comment éviter, lorsque le bonheur rôde, d'imaginer que dans la cave, des crapauds et des rats en grand nombre menacent les fondations de la maison ? La croyance en une certaine beauté offerte, en une certaine bonté purement gratuite, n'est-elle pas une épée de Damoclès pour qui n'a pas un aperçu du bonheur acquis ? Comment croire que quelque chose puisse être donné sans être presque aussitôt ravi ? Nul ne demande la vie, ni de parents, ni de lieu de naissance. Cela vient sans crier gare et repart de même, violé, spolié, ou seulement perdu comme le veut le destin. Y a-t-il âme qui vive capable de témoigner de la moindre exception ? Une main va-t-elle se lever pour faire mentir la cruauté naïve du vivant ?

« Le bord dentelé de son chapeau miroitait sous la lune ; on eût dit la lithographie d'un requin en train de charger, la mâchoire menaçante », écrivait William Faulkner dans *Moustique*. C'était en 1927, les requins voguaient déjà comme à présent, voraces au large des côtes marines, sournoisement dissimulés par le scintillement diffus des clairs de lune sur l'eau noire. En 1936, dans *Absalon ! Absalon !,* c'est la fin de tout exercice : « … ce soir-là, il monta au grenier avec un marteau et un paquet de clous, cloua la porte derrière lui et jeta le marteau par la fenêtre. »

Réinventer alors indéfiniment, à sa suite, les modalités de la survie, apprendre à faire diversion, à défaut d'avoir trouvé un sens.

Fête des Mères

Le jour de la fête des Mères finit par arriver encore une fois. Cette année-là, les écureuils ont mangé les têtes des tulipes. Le mois de mai n'a pas la moindre douceur pour quiconque.

Les voleurs montrent aux policiers les lieux de leurs larcins. Quelqu'un tue parce qu'on le lui a demandé. Ensuite, il y a bien entendu un long procès compliqué. C'est une année pleine d'événements qui sont anodins pour les uns et révélateurs pour les autres. Lavalin va construire des trains aériens à Bangkok. L'hôpital Louis-Hippolyte-Lafontaine est en tutelle. Le gouvernement fait son budget, décide du sort de ses vieillards, de ses malades et de ses fumeurs. On profane un cimetière juif. Des voyous déshabillent un vieux monsieur circoncis pour l'exposer, dans une cruauté inouïe. Les uns troublent la paix des corps, les autres cassent des monuments. Les mêmes gestes sont enregistrés un peu partout dans le monde. Surmonter cette pensée plus qu'accablante, offensante pour la dignité de l'humanité.

Acheter des pâtisseries après avoir hésité devant les beaux étalages de fruits du marché Jean-Talon : melons, bananes, oranges. Boire un Perrier diabolo avec des glaçons pour contrer l'ingratitude du sort. En cour municipale, une femme est accusée d'avoir nourri des oiseaux dans son jardin. Même les journaux sont sans pitié. On y lit l'absurde aussi bien que la turpitude du monde. La vanité de ce qui brille et puis s'éteint. La dérision des inventions que la fabuleuse imagination de l'être pensant peut créer. Qui seront ensuite reprises et puis banalisées.

La vie à Tokyo est hors de prix. Le bloc de l'Est n'est plus qu'une convergence de fissures, qu'un cratère où bouillonnent tout l'espoir et la désillusion du monde. Toutes les factions veulent être représentées. Le Maghreb se voile et se dévoile. Partout, il n'est plus question que de pour et de contre. Il fait froid dans la maison. Dehors un temps sinistre sévit depuis des jours et des jours. Le vent a emmêlé les draps sur les cordes à linge du quartier ; la pluie les a transformés en enchevêtrements pour le moment inextricables.

Se percevoir comme une viande lourde qui cherche où se reposer. Se dissimuler qu'en ce jour de fête des Mères, sa propre mère, une femme pas très vieille encore, tremble de peur devant les crocodiles qu'elle imagine. Tenter de faire basculer cela dans l'irréel. Rester désespérément cette enfant ingrate qui n'apprendrait jamais à inventer le plaisir avec assez d'ardeur pour le forcer à exister. Le chercher pourtant, avec obstination.

Ne pas pleurer

Ne pas pleurer. Car le temps est trop doux, la ville trop belle dans le soleil du petit matin.

S'imprégner plutôt de la présence rêvée d'une femme oublieuse, qui refuse sans regarder de trop près, sans compter. Ne pas pleurer.

Se souvenir du meilleur, s'accrocher au pire pour ne pas trop s'exposer au danger de l'espoir. S'imprégner d'elle en occultant le défaut de son consentement. L'avoir poursuivie au fil des ans sans arriver à tuer le désir qui subsiste. Presque obscène, forcément, lorsqu'il n'est pas partagé. Lorsqu'il n'est plus partagé. Noyer ensemble le pire et le meilleur.

Ne pas pleurer. Porter le beau collier d'Iran comme le vestige d'un amour qui n'a plus cours. Ne pas pleurer. Ne pas pleurer. Se perdre plutôt dans la rumeur de la ville. Se fondre dans le paysage, se taire. Aller au musée. S'attarder dans les librairies. Regarder les vitrines. Annihiler toute pensée construite qui la ferait vivre encore, refuser encore.

Faire semblant d'être résignée à la perdre au point de s'en convaincre. Feindre d'avoir acquis l'indifférence qu'il faut pour construire une carapace. Ne plus pleurer devant tout le monde. Rentrer dans la carapace. N'en ressortir qu'une fois que les tentations sont toutes endormies. Se souvenir de la splendeur de la ville sous le soleil couchant. Se déplacer pour voir la nuit tomber sur elle.

Danger

Nager dans l'eau froide pour empêcher le sang de couler, pour chasser la sensation des caillots qui s'échappent d'un for intérieur pourri. Aux abords d'une île, dispersés dans la végétation que la rosée fait briller, des hommes : Peaux-Rouges ? Iroquois ? Des simagrées échangées entre eux les font se rassembler. Ils se dirigent vers le rivage et s'embarquent.

Nager encore, glisser sous leur pirogue dans cette eau vive. Refaire surface plus loin. Nager encore plus avant, sans aucun autre bruit qu'un clapotis. Sans peur, recréer le silence pour ensuite s'allonger sur l'herbe, auprès des fougères, à l'abri des regards, puisque la profusion des feuillages offre ses voûtes aériennes à l'orée d'un petit bois. Garder les yeux ouverts pour conserver le souvenir de ce paysage que le vertige fait chavirer. Car beaucoup nager c'est se laisser porter au fil de l'eau, c'est pénétrer la fluidité du monde et s'échapper ainsi de sa carapace. Parer au plus intolérable, étouffer l'excès de la tourmente.

Retourner sous l'eau, indifférente à la pirogue qui fend le miroitement des vagues infimes et mobiles. Plonger, refaire surface, plonger, refaire surface, plonger, refaire surface. S'épuiser pour étouffer la conscience d'un tumulte constant, toutes assises révulsées. Nager, disperser jusqu'à la moindre velléité d'énergie qui subsiste. Se reposer avant de se recommencer en vain. Car tel est le sort de ce qui vit, s'agite, survit, réagit, périt.

Nager dans l'eau froide avec les poissons muets. N'être ni plus ni moins qu'un poisson muet, le temps de retrouver l'illusion d'appartenir au mouvement du monde. Car le monde anéantit la fourmi humaine dans le magma de sa gigantesque agitation, de son infini danger de vie et de mort.

Privation et déperdition

Il y a de l'absurde dans l'effort de se dépasser. Le quotidien aspire subrepticement les énergies, évacue vite fait bien fait la folie des grandeurs. La vie s'écoule d'elle-même dans les caniveaux. Le temps presse. Quelque proximité délicieuse constituerait le plus grand des réconforts. Mais le fil des événements semble toujours se dérouler en deçà de la vie. Le rêve s'étouffe dans sa propre ascension.

La soif est rarement assez grande pour commander d'agir. Parler devient extravagant. Tout un chacun, fourbu, va à l'encontre de ses limites au devant de la faim. Mais avec les nourritures concrètes et censément reconstituantes, avec la satiété, l'amertume survient. Au lieu d'une nouvelle énergie, c'est une nouvelle lourdeur qui s'impose.

La pensée de l'autre n'a plus qu'un sens expectatif et commémoratif : le désir et l'avidité ne sont pas morts, bien au contraire.

Cependant, le matin, il fait soleil ou il a neigé et cela change chaque fois la face du monde. On se demande si le bonheur peut se manifester autrement que miette par miette à qui dort, mange, boit, respire.

Des jours passent. D'autres jours passent aussi et il faut courir sur tous les fronts. Là une transmutation inattendue s'opère. Tandis que le corps n'a plus la force d'exulter, que l'esprit encombré cherche ardemment le repos, la perdition s'annonce. Les fantasmes, qui ne sont au début que des tentations bien vite changées en obsessions, sont carrément inavouables. L'eau est changée en vin. Le temps bonifie tellement de choses sur son passage… Une petite pause dans le plaisir férocement dévoré suffit : les rêves éveillés s'improvisent déjà. Se reposer un instant sur la mémoire de la femme perdue, se concentrer entièrement sur l'illusion d'une chaleur mise en commun. S'abandonner au désir qui monte, monte, monte. À contretemps du réel. Le garder en réserve. Ne pas le chasser. Se laisser plutôt flotter à sa surface, pour se souvenir du plaisir partagé. Les pensées sont de plus en plus excessives, les mises en scène ni ange ni diable. Se servir du passé pour construire une image supportable du présent, de l'avenir proche. Un simulacre. Privation et perdition se confondent insidieusement, paradoxale rencontre des parallèles à la rescousse du besoin impérieux de fusion avec l'autre. C'est ainsi qu'esprit et corps ensemble s'évadent de la trop grande fatigue.

Profusion des cellules muettes

Est-il convenu que le monde des uns doit rester opaque pour les autres ? On se le demande quand on lutte en silence, enfermé en soi-même. Chacun est lié à sa propre histoire, bercé par ses propres obsessions, prisonnier de ses fantasmes. Mais il arrive que de petites portions de temps soient autant d'ouvertures sur le dehors. Des fenêtres par où la curiosité cherche à se satisfaire.

Ensuite, il faut retourner chacun dans son propre monde car c'est le seul dont on dispose. Les excursions hors de ses impératifs individuels sont un luxe rare. Il faut autrement travailler, manger, dormir, travailler, manger, dormir. Le reste doit s'insérer entre ces fonctions premières qui prennent pratiquement toute la place. On est alors distrait par la succession des saisons, par le plaisir parfois, par des tentations auxquelles il s'agit toujours de renoncer : la peinture, les livres, la mer, la nature sauvage des beaux jours d'été. Les gens et les oiseaux qui vont et viennent.

La synchronisation est submergée par le désordre. L'humain, encore une fois, n'est qu'une infime parcelle qui n'aura jamais la force de changer l'organisation du monde. L'usure des vieillards fait réfléchir, incite au dépassement, à une nécessaire audace du quotidien. Gagner ainsi une longueur d'avance sur ce qui sera immanquablement anéanti. Il est impossible de se dérober à certaines vérités particulièrement éprouvantes et répétitives : on est soi-même emprisonné en soi-même, au mieux accompagné de témoins attentifs et clairvoyants. Trop de choses demeurent décidément muettes en dépit des tentatives d'expression, de compréhension : les propriétés de l'air, le climat qui règne sur le sommeil, pour n'évoquer que celles-là.

Il importe de se souvenir qu'on est hors de portée du partage. Peut-être la volonté persistante de traverser des frontières tient-elle à l'espoir de renverser cette certitude cruelle. Dépasser les limites de la conscience dont les accès sont plus surprenants les uns que les autres. En dehors de cette étrangeté morcelée et toujours aussi soudainement manifestée, il n'y a que l'échappatoire du quotidien pour assurer l'équilibre sur la corde raide : travailler, manger, dormir, travailler, manger, dormir.

Mais lorsque le moment de s'évader arrive, les émotions retenues, bonnes et mauvaises, sont si intenses que l'autre est étourdi, ahuri par le flot des pensées et des actions. Empêcher que l'embrouillamini qui se manifeste provoque la saturation. C'est pour cette raison que la littérature ou d'autres formes d'art viennent au secours de qui suffoque et se tait, de qui tente inlassablement de vaincre le chaos du fourmillement intérieur.

Travailler

Une grand-mère meurt et sa vieille amie dit, d'un ton véritablement interrogateur : « Pour elle c'est fini, non ? » S'imprégner de cette philosophie de la délivrance. Tout est si changeant pourtant. Comment savoir : c'est vraiment fini ? Tant de choses arrivent que le lien de cause à effet vient à être mis en doute. Où la force prend-elle sa source ?

Travailler ne signifie pas toujours survivre, faire le nécessaire pour survivre. C'est aussi l'évasion, la diversion, l'occasion de se débarrasser d'un sentiment d'impuissance incriminant. Perpétuel. Pareil à l'indispensable action du bœuf qui creuse, avec le soc, le sillon d'où le blé surgira ensuite. À la différence du bœuf qui, en tirant sa charrue, ne faillit jamais, l'humain n'est jamais assuré tout à fait de son aptitude à être « utile ».

Pour la énième fois, se rappeler des scènes de Millet. Chacun de ces tableaux confère son sens à l'action, une action dont dépend le pain quotidien. Les figures agricoles ont quelque chose d'infiniment rassurant. À la tombée du jour, les forces se rassemblent avant de se disperser, au-dessus d'un champ qui préfigure le recommencement éternel. C'est une pause dans la continuité de la défense et du recouvrement. Successivement, c'est le mouvement puis le repos, et de nouveau encore le mouvement et le repos. On n'a pas besoin de se soustraire à ce cycle banal et mystérieux. Car c'est une participation spontanée à la modeste victoire de l'être pensant. Apprendre à utiliser à ses fins l'énergie brute contenue dans la nature, qu'il faut à la fois dompter et observer avec ardeur. Il n'est pas de jour de beau temps où l'on ne puisse exulter, devant la mutation flambante du soleil couchant, sans une satisfaction minimale du travail accompli. La reconstitution des forces est aussi vitale que leur mise en œuvre. La plénitude n'est donnée à ressentir que lorsqu'un certain accomplissement est atteint. Composer avec les heures mesurées qui mènent de la vie à la mort. S'emparer du moindre instant. L'absorber. S'accorder au courant irrépressible, presque magnétique, qui draine vers le futur le moindre fragment du présent.

La lecture du soir

Les journées sont très chargées. Il y a des obligations nombreuses, des défis, des tentations. Il y a des événements comme la nouvelle année, des mariages, des décès. Du matin jusqu'à la nuit tombée, on est propulsé d'une activité à l'autre : le travail, les courses, les repas, la vaisselle et ainsi de suite. Livres et journaux s'empilent. Les voyages sont différés, les projets aussi. Rêve de concilier toutes les aspirations. Espoir même, parfois, il faut l'avouer. Table dressée pour une circonstance exceptionnelle : des rires fusent, les plaisanteries se multiplient. Enfin, l'affection se laisse apercevoir. C'est une chaleur éphémère mais vivifiante. On retourne ensuite aux corvées, aux gros travaux. Il y a parfois une soirée de cinéma. Rarement.

Ces journées-là finissent dans des draps doux où, sous la lampe, on se jette dans la lecture. C'est le bonheur. Le soulagement de s'abandonner, après des journées si chargées, semble démesuré. Plonger dans un autre univers peut débarrasser du fardeau de la conscience de soi, fournir une espèce de transition entre le soir et le jour suivant.

Fermer les yeux dans le noir. Ne plus penser. Appeler le sommeil qui va, en peu de temps, supprimer toute sensation. Sombrer alors dans le gouffre informe d'où le repos surgira peut-être. Remporter alors la victoire des victoires : étouffer l'inquiétude, l'obsession, toute forme de souffrance, l'émotion même.

Dépérissement

La peur parfois, furtive comme l'éclair, d'une flétrissure à venir. Car tout est périssable, mais on ne veut pas le croire.

Peur des étiquettes, dans la frénésie des nuits d'insomnie. Peur des résumés qui collent trop étroitement à la réalité : « La nuit, elle rôde comme un loup affamé ; le jour, elle erre entre des extrêmes d'exaltation et de noirceur... Elle n'a aucune mesure... C'est épuisant ! » Cette menace qu'il faudrait chasser et prévenir attend peut-être le moment de s'inscrire dans le concret. Comment admettre que tout s'use alors que, triomphante, l'améthyste exulte en silence ?

Découvrir à temps le caméléon qui cherche-rait à nous surprendre au détour du chemin. Exercer une vigilance sans répit, monter la garde autour de son propre brasier. Telles sont les tâches auxquelles il faut penser jusqu'à la fin du monde. Désapprendre la crainte de cette fin du monde tellement redoutée dans l'enfance. S'habituer à ignorer les motifs du désespoir ultime. S'entraîner à reconnaître à temps ce qui peut empêcher le dépérissement. Être traversée jour après jour par l'ardeur qui fait vivre, s'en repaître, la laisser grandir plutôt que de s'en méfier. Qu'il n'y ait pas ce dépérissement, le pourrissement légendaire de ce qui a un jour existé. S'abandonner au bercement du temps présent. Étouffer la banalité ou l'ennui, s'ils venaient à se manifester. Les repousser aussitôt, leur signifier que ce n'est pas la bonne adresse.

Un cœur de mendiante

Avec détermination, essayer de chasser aussitôt l'évocation du « cœur de mendiante ». La mendiante ne sait pas tenir l'amour pour acquis, elle éprouve de la reconnaissance pour l'attention et la compréhension prodiguées par autrui, même si elles font pourtant toute la différence. Ces paroles sont assez dures pour forcer à comprendre, pour forcer la découverte d'une vilaine cuirasse, minutieusement fabriquée et emportée partout avec soi au fil des ans. Songer à se débarrasser de cette cuirasse.

C'est l'heure d'aller travailler. Les mots « cœur de mendiante » obligent à remonter le fil de l'histoire. Est-ce nécessaire de rappeler la solitude qui règne dans les hôpitaux ? Dans les prisons ? Dans les pensionnats ? Un bloc opaque. Et celle des enfants des familles accidentellement trop nombreuses, qui épuisent les parents ? Se délivrer de ces rappels accablants, sous la douche, tandis que les larmes se mêlent à l'eau savonneuse.

Qui eût cru que les mots « cœur de mendiante » seraient prononcés ? Refouler au plus vite cette humiliation de longue date dont les séquelles se manifestent encore, insidieusement. Ces paroles font revivre la sensation des précipices du passé, enfouis au plus profond. Étonnement d'être à ce point trahie par de vieilles peines qu'on aurait cru basculées dans le néant. Il ne reste alors qu'une issue : tenter de guérir cette mendiante qui prend corps en soi-même. Vivre avec elle serait trop difficile.

Tant de choses ont le pouvoir de renvoyer à un autrefois de grand abandon. Se souvenir malgré soi de l'amertume des émotions du passé. Même les plus heureuses qui sont trop pauvres : quelques heures, quelques jours, jamais davantage. Faire fi de cet autrefois trop heureux et trop malheureux, où le bonheur intense était tellement fuyant qu'il valait mieux renoncer d'avance. Le rejeter définitivement à présent. Se concentrer sur cet objectif en se fondant dans le flot des voitures qui vont vers le centre-ville. Détourner les travers de cette mendiante puisqu'elle ne sait pas se laisser apprivoiser. Secouer l'humiliation qu'elle engendre. Tourner vivement la page pour tenter d'exister : lire, manger, dormir, respirer, rêver, voyager.

Le matin

Dans la ruelle, tôt le matin, il n'y a que des écureuils et des chats. Puis quelques heures passent et les enfants vont à l'école. Chacun doit alourdir ses pas pour faire céder la couche de verglas qui complique son trajet. Dans les traces de pas humains, plusieurs pattes de chats se sont inscrites.

Rêver encore, là, le matin, de cette femme qui savait si bien ouvrir ses bras et qui ne les ouvre plus. Dire des mots d'amour dont le flot réchauffe jusqu'au cœur et qui n'en dit plus. La ranimer, la transporter dans le présent pour le plaisir. Ne pas oser toutefois l'imaginer dans un futur plus heureux dont la privation serait ensuite intolérable. Reprendre le collier d'Iran. Le porter chaque jour et aller travailler comme si de rien n'était.

« Chaque chose en son temps »

Presque personne ne dure, ni non plus les choses. Tout s'achève dans un spasme imprévisible, fin des transformations connues. Il faut bien happer ce qui se présente au passage, pour recréer les cérémonies d'un certain bonheur, pour prolonger un peu les extases du plaisir passé.

Être tôt ou tard délesté de ses aptitudes premières. Voir le corps s'alourdir ou alors s'alléger au point de rendre visible une vérité qu'on ne veut pas envisager : la vie ne tient qu'à un fil.

Une odeur de cigarillos imprégnée dans une chambre jamais oubliée assure le prolongement de la femme perdue. C'est une présence que le réel ne peut plus offrir. Les miettes de cette présence ramènent avec elles un constat douloureux : les mamans et les sœurs, comme les autres femmes, parfois saccagées par toutes sortes de malaises, sont trop rarement en pleine possession d'elles-mêmes. Il est facile de discerner que la souffrance a élargi son territoire à leurs dépens. Premier acte, deuxième acte et le monstre grandit encore, peut-être même le troisième est-il entamé. On n'en sait rien.

La vieille femme s'affaisse, peut-être pour toujours. Ses enfants n'ont plus rien d'enfantin. Alors elle tombe dans sa chambre, de plus en plus souvent. Un jour, elle ne réussira plus à se relever. À quoi bon ? L'oiseau a cessé de chanter pour elle. C'est un oiseau qu'elle avait beaucoup aimé. Plus tard, en repensant à lui, émerveillée, elle émet un sifflement qui ressemble à son chant. Décidément, l'oiseau jaune ne chantera plus pour maman. Avec une certaine confusion, elle explique qu'il a été transporté ailleurs. Les oiseaux et les animaux, à cause de leur courte vie, ravivent constamment la cruauté du destin : les êtres se séparent après s'être beaucoup aimés, la mort les emporte n'importe quand, et de toute façon il n'y a pas de bon moment. Les oiseaux et les animaux incarnent l'éphémère. Il ne reste plus qu'à s'habituer à cette parole de dépit et de raison : « Chaque chose en son temps. »

Nulle part après la déchirure

À travers le souvenir, tenter de recréer un été vivable. La nuit, se laisser distraire par le bruit de la pluie et par les trains qui traversent la ville dans le noir. Au loin. Pas très loin. Écouter de la musique toute la nuit : Massenet, Mendelssohn, Palestrina, pour ne plus ressentir son absence. Et quand arrive la première nuit à dormir avec les portes grandes ouvertes, essayer de l'inventer encore. Cela seul compte.

Le jour, s'allonger paresseusement au soleil, aller jusqu'à rire. Refuser de se savoir seule dans le trop grand lit. S'attarder à observer les éphémères qui font leur apparition. Regarder une photo de Genève qui traîne. La ville forme une dentelle au-dessus de la rive horizontale du lac. Établir le rapprochement avec la vision d'Hubert Aquin, dans *Prochain épisode*. Il avait écrit : « Cuba coule en flammes au milieu du lac Léman... » La Genève de la photo évoque l'Italie de Guardi. Pas de flammes. Seulement une lumière de fin du jour et de gros oiseaux sur l'eau qui ressemblent à des oiseaux de mer. Une mouette a déployé ses ailes. Elle survole le lac. C'est un fragment de milliseconde dans l'histoire du monde. Autant de lieux inconnus, d'instants qui auront l'un après l'autre échappé à la conscience.

Penser que les lilas sont en fleurs dans les replis du mont Royal... Aller en promenade. Se souvenir encore d'elle qui aimait tellement marcher dans la nature, dans les parcs, dans les villes, n'importe. S'arrêter finalement au refuge des oiseaux où des trilles poussent en grand nombre. Les tulipes, à l'état sauvage, se laissent surprendre un peu partout, sous les arbres. Des pâles, pour la plupart, mais aussi plusieurs qui sont orange, ou d'un mauve presque violet. Rentrer à la maison ensuite, dans une solitude perplexe. Combattre l'espoir certes illusoire de la retrouver un jour. Une odeur de muguet, transportée par le vent doux, rôde dans la chambre. Des enfants jouent dehors en plusieurs langues, bruyamment malgré l'heure tardive. Fermer les yeux sur ce qui n'est plus, sur ce qui ne sera plus jamais.

Bon an mal an, le printemps réveille la conscience de ce qu'on vient d'enterrer. Ou de ce qu'on va enterrer. La nature plus clémente, plus généreuse, impose chaque fois un retrait en soi-même. Céder à la pulsion d'une certaine euphorie, c'est accepter que l'esprit soit emporté en dehors du réel, qu'il chancelle au-dessus du vide. Hésiter infiniment avant de consentir au moindre bonheur. Refuser l'absurdité de cette attitude morbide, puis s'asseoir au balcon pour réfléchir.

Là, sous la lampe, tenter de mettre un peu d'ordre. Distinguer ce qui est perdu de ce qui ne l'est pas encore. S'extasier devant l'immobilité parfaite des feuillages. Les moustiques voltigent autour de l'abat-jour, subrepticement l'inquiétude grandit. Tous les amours finissent-ils dans l'anéantissement ? Qu'est-ce que la pérennité ? Dans l'exaspération que l'angoisse nourrit, mesurer le désert engendré par une absence sans remède. Jusqu'à l'obsession, maudire ce comportement enfantin. Essayer de changer. D'être autre chose que la limace totalement dépourvue de volonté. Procès inutile. La diversion serait sans doute plus sage. Dans le vacarme des climatiseurs, penser au cliquetis de toutes les machines à écrire du monde. Croire un instant qu'il existe un espoir de transfert du meilleur, du pire, ou au moins de l'anodin. Car la cruauté de la nature a créé la dépendance pour forcer l'humain à apprendre l'indépendance.

Avec l'altiste de Bratislava

Grâce à l'usure du temps qui érode l'empire de la raison sur l'émotion, il arrive que la vision d'un épisode du passé resurgisse, intacte. Et avec elle toute sa fulgurance, sa beauté peut-être encore imperceptible à l'époque, dans les étroites contraintes de l'immédiat.

L'altiste de Bratislava avait le pouvoir inouï de s'emparer de la musique de Bach et de la redonner, insufflant sa fièvre dans le brouhaha des passages multiples. Impossible, inutile de dire quelle station du métro de Paris c'était. Ni les circonstances, car le contexte était indifférent, ingrat. Seule la musique agissait ; le besoin d'abandon de l'humain suscitait le reste. Car cette avancée de la musique vers soi, ou de soi vers la musique, avait un sens. Et quoi d'autre avait alors un sens ? Cela en dépit de la poursuite exaltée de qui refusait, avec affection pourtant, des élans destinés à retomber tôt ou tard, nuls et non avenus.

L'altiste de Bratislava était pourvu d'un talent et d'une fantaisie considérables. De sorte que la situation, qui n'avait guère d'élégance à priori, était transfigurée.

Quitter Paris sans l'avoir traversée de part en part, si tant est qu'on peut traverser cette ville à pied de part en part, aurait été trop privatif. La parcourir, c'était en même temps se l'approprier, la posséder pour soi-même de telle manière que certaines atmosphères qu'elle abrite s'ancrent durablement dans la mémoire. Il fallait absorber la douceur du soir. L'altiste était un compagnon docile et attentionné, qu'il suffisait d'entraîner pour y trouver son plaisir.

Marcher toute la nuit avant de repartir. Longer des parcs, des eaux, les grands boulevards. Ne dormir que quelques heures. C'était un temps d'hémorragies. Mais il fallait noyer toutes les frustrations avec ce sang souillé. L'altiste, là aussi, était un témoin encourageant et silencieux.

Et puis elle est apparue. Surprise, déçue, exaspérée peut-être à cause de l'excès d'incompréhension, de part et d'autre, jamais surmonté au fil des ans. Sublime de délicatesse et de vivacité, inaccessible figure de séduction dont le rejet pesait lourd, il faut l'avouer. L'altiste assistait au sacrifice jamais consenti d'hommages qui ne l'auront jamais atteinte.

Rien ne sert de traverser l'océan, rien ne sert de désirer qui ne veut pas de soi. Rien ne sert de s'expliquer. La passion est un langage dont on n'improvise pas la maîtrise.

« Ce n'était pas la passion… », dira-t-elle un jour, bien plus tard, répondant ainsi à toutes les interrogations qui auraient pu subsister. Il aurait fallu descendre jusqu'au cœur du sentiment, le communiquer avec plus de courage. Au moins le temps d'un enchantement. Raté cent fois plutôt qu'une, ce noble objectif ! Et récolté comme il se doit les fruits de cet échec longuement perpétué.

L'altiste était grandiose dans son rôle de réparateur de torts. Dans le bouleversement et l'impuissance, il s'agissait encore de la quitter, de renoncer à la défunte complicité de quelques heures d'amour, dévorées dans l'obscurité d'une chambre partagée dont la nostalgie ne s'est jamais éteinte. Elle ne voulait pas ressusciter ces instants vifs et fougueux. L'altiste l'avait compris et il se taisait, devant le bouquet de tulipes mauves qui accentuait la blancheur des volets fermés.

Le lampadaire

Le ciel est chargé de nuages tourmentés. Le lampadaire ressemble à un échafaud. C'est un mois de juillet torride. Le matin, dans l'odeur du seringa, contempler le mur de brique derrière le rideau qui vole au vent. Même le chant des oiseaux paraît monotone, pourtant.

Les rues du centre-ville sont encombrées. Les piétons, nombreux, flâneurs, défilent, jambes et bras nus, la démarche décontractée. Leur insouciance fait envie. Mais c'est le Festival de jazz. L'émerveillement tombe instantanément. Ce sont encore des gens qui vont en même temps au même endroit pour les mêmes raisons. Fuir aussitôt par l'autoroute. Ne pas laisser monter la fureur. Se repaître de la vue sur la ville pour compenser, dans l'obscurité tachetée de petites lumières.

Un moustique qui rôde

Dans la paix retrouvée du soir, bruissement des arbres que la fenêtre ouverte accueille. Même bruissement que ceux de l'enfance : auprès de la maison d'une grand-mère, un cerisier qui donnait non pas les fruits généreux et « civilisés » que l'on appelle « cerises de France », mais des grappes de petits fruits âpres qui mûrissent sur les terres pauvres des régions montagneuses. Les « cerises à grappes » sont désormais presque introuvables, sauf dans la nature sauvage.

Il y a des choses qu'il faut taire. Quelques gouttes d'huile solaire répandues sur une pierre, sous le soleil chaud de l'après-midi, suffisent à réveiller dans toute leur acuité des douleurs qu'on avait naïvement cru refoulées, occultées à jamais. À l'endroit où l'huile se répand, c'est du sang des animaux malades ou indésirables qui se répand à nouveau, avec l'horreur que peut inspirer une bête décapitée. C'est la hache de l'homme résolu qui vient de leur trancher la tête qu'on aperçoit à nouveau, cédant à la mémoire contraignante et impitoyable. Il range son outil sans aucune émotion apparente, si ce n'est la satisfaction du devoir accompli.

Mais ce sont des choses dont il ne faut pas parler car personne ne veut penser aux bêtes dépecées que d'autres ont connues. Ne pas faire étalage du sang injustement versé. Revenir en arrière pour effacer ce flot tiède associé aux petits massacres auxquels il est intolérable de penser. En même temps que ces quelques gouttes trop colorées sur la pierre brûlante, chasser jusqu'au souvenir de l'asphalte souvent souillé par le sang des bêtes dans le jardin familial. Que ces bêtes soient rétrospectivement anéanties, puisqu'on n'a pas trouvé le moyen d'en sauver une seule.

Quel sort faudrait-il réserver maintenant à ce moustique qui rôde ?

L'esprit divague encore vers le passé. C'est dans une voiture, grande voiture où les enfants sont entassés. Le plus jeune frère s'exclame soudain, pendant le beau trajet qui sépare Notre-Dame-du-Rosaire du fleuve, alors que le soleil était sur le point de s'effacer à la surface de l'eau :

— Regarde, maman, regarde vite, un maringouin à deux têtes !

— Tais-toi, disait maman.

— Un maringouin à deux têtes ! insistait-il.

— Tais-toi, répétait maman.

L'anecdote a survécu jusqu'à maintenant. Le moustique qui rôde va survivre.

Se glisser hors de la chambre. La noirceur fait penser aux caves et aux hangars de l'enfance, où s'écoulait la vie secrète des cloportes, des autres insectes embusqués dans le bois destiné au chauffage pour l'hiver. Où s'exerçait le travail des pommes de terre dont les racines, de plus en plus longues et de plus en plus robustes, s'enchevêtraient à mesure que l'automne se changeait en hiver, l'hiver en printemps et ainsi de suite. Se hisser hors de toute atteinte d'un fardeau invisible. La maman, accablée par la lessive de sa nombreuse famille, se penchait et se relevait sans cesse, embarrassée par son ventre proéminent toujours porteur d'un petit frère ou d'une petite sœur en devenir. Toute machine à laver qui reproduit le même bercement monotone de l'eau savonneuse a le pouvoir de faire resurgir la peine ravalée. L'impuissance grandit sans limites. Résister à l'envie de fuir. Se soustraire au tourbillon puissant qui fait fléchir toute retenue. Contrer la force insoupçonnée qui efface la réalité au profit d'une étrange déformation des perceptions.

Se ressaisir. Espérer que quelque chose va rétablir l'ordre des faits : il est tard ; après avoir travaillé, mangé, après s'être dispersée à droite et à gauche, il faut simplement se reposer. Dormir. Arrêter de voyager en pensée d'un lieu à l'autre, renoncer à s'engager dans les avenues d'un renouveau imaginaire qui repousse le sommeil. Dormir est un plaisir hors d'atteinte ou la certitude d'une fuite assurée. Tromper pourtant l'appel glacial du lit vide. Nier l'attente.

Retrouver en pensée le mince croissant de lune qui perce la nuit étoilée. Se souvenir de la présence tranquille des arbres et des maisons éclairés par les lampadaires. S'habituer à l'idée qu'il serait exagéré de faire grief au présent d'une solitude que tous connaissent, tôt ou tard. S'endormir comme si de rien n'était, pour ne plus rien ressentir.

Désenchantement

Le temps grignote la moindre escapade, bouscule les travaux, écourte les rêves. Inquiétude pour ne pas dire terreur devant cette sombre constatation. On voudrait le charger d'espoirs grandioses mais il peut à peine contenir les élans du quotidien. Il suffit pourtant de si peu pour rompre l'équilibre, pareil dans sa fragilité à l'échine d'un petit animal. Dans l'extase, toute tristesse perd sa réalité, devient inconcevable. Dans l'absence, il est impensable de s'en distraire.

Au temps des jours meilleurs, le vent du soir d'été poussait son souffle jusque sur son torse déshabillé. Elle s'abandonnait sans frissonner en respirant ensuite avec lenteur. Après le whisky, elle demeurait pensive et silencieuse, avant de s'endormir sur son mystère. L'autre reste toujours impénétrable au-delà d'un certain seuil. C'est une vérité bouleversante qui commande le respect, une espèce de reconnaissance même, car le mystère entretient l'espoir.

Autre jour, autres visions. Derrière la fenêtre qui ruisselle, au-delà de la haie de lilas, le grand peuplier tremble. Trop souvent, la certitude de ne pas mériter le bonheur qui vient vers soi resurgit. C'est déraisonnable mais non moins réel, ce qui provoque le désenchantement. Constamment, ce désenchantement menace, en délaissant de petits nuages roses au-dessus de la forêt. C'est n'importe où : à table, en voiture, devant un cours d'eau, dans le tohu-bohu des magasins d'alimentation, dans un escalier, sur les trottoirs achalandés, dans le silence de la nuit parfois, alors qu'un souvenir s'impose. Le froissement de l'eau d'une rivière aperçu avec elle, il y a longtemps, à l'occasion de l'un de ses brefs passages. L'émerveillement se brouille et retombe. La rivière subsiste, mais la vision de sa vivante surface s'anéantit. Ce ne sont ni les événements ni leur portée qui se rétrécissent, mais seulement la perception qui brutalement semble se délester de sa ferveur. Rattraper cette espèce d'attiédissement; les mots empruntés et les images évoquées noient jusqu'au plus grand enthousiasme dans un bourbier de banalité. Alors, anxieusement, on se voit dans l'obligation de tout recommencer, de surprendre à nouveau un quelconque signe d'harmonie.

Essayer de se souvenir intensément. Dissiper l'impression hallucinante d'être sur le point de ruiner en partie les moments les plus forts du passé. La terre se remet pourtant à tourner. De nouveau on se demande quel temps il fait, quel temps il va faire. On secoue la poussière des journées besogneuses et tout s'éclaire. L'insouciance est enfin retrouvée.

Mais la vision persistante de ce que furent les premiers signes de désenchantement de sa part est devenue une hantise de chaque instant. Touchée au plus près, de trop près, abattue par la racine, il faudra vaincre la douleur d'avoir perdu cette femme aimée. Comment, dès lors, empêcher la danse des motifs macabres qui accompagne le passage de la veille au sommeil ? Pleurer en silence. Court-circuiter le cycle du sommeil qui compromettra les lendemains mais, de toute façon, le sommeil viendra plus tard. Au réveil, hélas, la tristesse pas encore exorcisée aura tôt fait de se reformer.

D'autres jours suivront. Avec la même obstination, il s'agira de traquer ce redoutable désenchantement, l'imaginant à mesure pour mieux le contrer peut-être. Se persuader que toutes les pertes ressenties ne sont que pure invention : rien d'alarmant n'a pu survenir. S'abandonner alors tout entière, résolument coupée de sa présence improbable. Dormir enfin.

Le lendemain, à l'heure de la collecte des ordures, découvrir des vers qui se tordent et se reproduisent spontanément. La nature n'est décidément pas que cette beauté incommensurable qu'on lui a toujours attribuée. C'est aussi le reste, inévitable, qui n'est ni beau ni bon. Le spectre du désenchantement se montre encore une fois et il faut le combattre coûte que coûte. Car il est trop dangereux de s'enfoncer dans le désespoir. Trouver enfin la trace du b a ba de l'enchantement. Tout semblera alors possible, acceptable. Le besoin de chercher pourquoi ceci et pourquoi cela se perdra. Continuer d'avancer sans trop se soucier de la dérive, sans trop s'interroger sur le sens du moindre changement, du moindre déplacement.

Et puis, un matin frais de grand soleil, se lever tôt, être là pour voir que tout frissonne encore avant que la journée commence, à l'heure de la rosée. Se souvenir de ses paroles encourageantes d'autrefois : « Il faut savoir donner forme à l'informe… »

Changement de domicile

L'odeur du seringa embaume la chambre. Le soleil, déjà ardent à sept heures du matin, s'est répandu sur les fleurs du jardin. Une femme inconnue passe dans la ruelle illuminée et ressuscite, sans le savoir, le souvenir de petits villages de France qui ont aussi de minuscules jardins clôturés. Tout est encore tranquille. Les branches du grand sapin sont exposées à un éclairage qu'on pourrait croire surnaturel. D'autres arbres ont leurs feuilles transparentes au-dessus des pelouses très vertes. Hormis les pas de cette femme qui continuent de résonner derrière elle, de se répercuter jusqu'ici, on n'entend que le pépiement des oiseaux. Et les cigales déjà.

Les heures, les jours ont passé. Les étapes décisives s'accumulent. Autre temps, autre maison, autre commencement. La saison des pivoines est avancée. Celles qui n'ont pas été cueillies se fanent sur leur tige contre la clôture. D'autres sont mortes dans la chambre d'hôpital de maman, après les muguets et les iris jaunes.

Dans une maison du passé, le dernier soir, un grand papillon noir se précipite d'un mur à l'autre de la chambre, désorienté par les différentes sources de lumière. Il faut éteindre pour qu'il puisse s'enfuir, dans l'obscurité, par la porte grande ouverte. Il y eut toujours un être noir du règne animal pour marquer chacun des changements de domicile d'autrefois. Ce furent une fois un chat, une autre fois un chien et à présent ce grand papillon auquel il ne faut plus penser. Dans sa cage, un oiseau dont l'aile s'est cassée par accident chante pour lui seul jusqu'à la nuit tombée. Ce sont des jours de grande chaleur qui font oublier les aléas du quotidien. La ville est un immense four. Bien d'autres jours viendront, porteurs de nouvelles expectatives. Il ne reste qu'à les attendre en silence.

La dépendance

Derrière une fenêtre embuée, la ville paraît ne se composer que de quelques bâtiments grisâtres au-delà desquels s'étend un brouillard opaque. Des chantiers s'élèvent partout. Les plaies de la ville sont recouvertes par des structures inattendues, dont les fonctions semblent encore indéterminées pour l'instant. Comme dans les cauchemars, se voir pris dans un mouvement incompréhensible. Les gens vont, viennent. Où ? Vers où ? On n'en sait rien. Avancer les yeux fermés vers l'inconnu. Flairer dans toutes les directions des appels informes. Ne pouvoir répondre que par des cris qui ne portent pas. Se débattre dans l'invisible sans que rien n'y paraisse. Le pire tient à l'incapacité d'absorber. Qu'est-ce que l'insupportable ? Revoir ce chat devenu aveugle qui tourne désespérément la tête de tous les côtés, qui avance la patte dans le vide pour descendre du lit. Son pleur désespéré se propage à l'infini. Pendant que les autres dorment ou travaillent, panique récidivante d'être à nouveau submergée par le désarroi qu'on vit chacun pour soi.

Impossible pour l'instant de savoir d'où vient le malaise grandissant. Aucun qualificatif ne semble convenir. La sensation rétroactive de la présence et de l'attention délicieuses de celle qui fut autrefois une complice refait surface. Devant elle, l'inquiétude s'évanouissait. Le sentiment de vide est cette fois accompagné d'un vertige auparavant inconnu. Essayer en vain de se désemprisonner. Entreprendre de s'échapper mais nulle issue ne s'offre. S'esquiver dans le sommeil et, dès le retour de la conscience, refouler cette vague de panique tant que faire se peut. Se replier en silence, à d'autres moments, tourner le dos au trou noir qu'il faut fuir. Incrédule, se voir affligée de tant de complexité dans le simple devoir d'exister que le refus s'impose. C'est pourtant bien de soi qu'il s'agit. Chaque fois, s'étonner de cette horreur.

L'absolue dépendance entraîne de nouveaux désordres. S'habituer à la plus cruelle certitude : il n'y a plus rien à attendre. Cela même lorsque l'espoir fait semblant de se reconstruire, gigantesque, prometteur. Se sentir comme les poissons sans eau, hélas, dès qu'il faut mettre entre parenthèses la plénitude à laquelle tout un chacun aspire. La vision de l'avenir elle-même se travestit, pour mieux empêcher la sensation d'un bonheur concret et continu. Refuser cette nouvelle inaptitude à la survie. Chaque heure qui passe jette un voile noir sur les moments d'allégresse. Le voile noir est porteur d'un message implicite : le bonheur n'a plus cours. Il faudrait mettre tout en œuvre pour le reconstituer. L'énergie, mais quelle énergie ? La bonne volonté, mais quelle bonne volonté ?

Être assez forte pour lutter. Mais trop de craintes font naître la culpabilité virtuelle, l'effondrement. Évidence de la contradiction totale dans laquelle on s'apprête à sombrer.

Le silence détruit

Regarder au matin les petits sapins qui tremblent, balayés par la poudrerie. La neige fraîche recouvre les jardins. Dans la rue, c'est une joyeuse corvée de déblayage. Acheter des journaux et des croissants. Malgré tout, l'angoisse couve, entraîne le moulin à paroles qui se remet à tourner à vide. Le dérèglement familier se manifeste à nouveau : les mots pour nommer les souffrances qui continuent de macérer secrètement ne sont jamais ceux qui conviendraient. Le moulin à paroles, inlassablement, fait le pour et le contre. Ce langage déplacé engendre l'humiliation. À cause de cette quantité de mots qui se déversent au dehors, telle une honteuse vomissure. Le langage pervertit sa fonction expressive pour n'être plus qu'un symptôme récidivant.

Le matin suivant, se réveiller dans la tristesse infinie des jours d'épreuve. Pendant quelques secondes, l'insouciance domine encore, jusqu'à ce que l'événement marquant refasse surface. C'est souvent une absence, plus ou moins définitive, ou une autre blessure. Quelqu'un qu'on a perdu, un chien mort. Un accident récent, une quelconque catastrophe... Une grande défaite, une illusion qui s'effondre. Des émotions que les mots défigureraient pour peu qu'on tente d'en faire état. Un bouleversement profond qu'on arrive à la rigueur à déguiser, mais presque jamais à traduire. Il s'agit plutôt de l'exorciser de toute façon. En cela, les mots ne sont pas vains. On les choisit pour construire une figure supportable, une interprétation atténuée de ce qui déchire le cœur.

Nouvel espoir : être entraînée dans un monde où l'intarissable lamentation que la vie et la mort inspirent se tairait.

Survivre ?

Il y a les morts et les presque morts et il faut dormir là-dessus, comme si de rien n'était. Les petits enfants d'un jour ont vite fait de se travestir. On les reconnaîtra pourtant sous les dehors d'adultes respectables parmi tant d'autres. La vie survient, s'incarne, s'épanouit ou décline. Une fois consommé le temps d'une exploration élémentaire de lui-même et de l'univers, le corps n'est qu'une dépouille destinée à retourner à la terre sans tarder. La mort reste en travers de la gorge des survivants. Quels que soient les liens qui les rapprochent de la personne disparue, il leur faut pourtant chasser la pensée d'un être dont l'existence, sous sa forme familière, a été abolie.

Comment oser faire l'amour au-dessus de tant de blessures vives ? De la vision douloureuse et obsédante de la terre qui s'ouvre pour engloutir tout à la fois personnes, animaux, vaisselle, maisons ?

En versant la farine qui va entrer dans la composition d'un gâteau, s'arrêter. Car des images stupéfiantes, crues, précises, font irruption : combien de fois la grand-mère morte a-t-elle fait ces mêmes gestes ? Tristesse de la pensée récidivante de cette grand-mère ; une dalle de marbre protège désormais sa dépouille, enfermée dans son cercueil. C'est récent, tout récent. Ne pas avoir été là lorsqu'on l'a ensevelie, invraisemblablement livide et immobile. Le souvenir de ses traits persiste avec une exactitude presque offensante. Se rappeler trop bien malgré soi le corps déformé par une vie rude, les gestes, le débit de la parole, les attitudes physiques. Son approbation, sa désapprobation. Le soin avec lequel elle choisissait ses vêtements était passé inaperçu. Hériter d'une chemise de nuit de sa jeunesse, porteuse d'indices de ce raffinement anéanti. La tristesse, jusque-là vainement chassée, se laisse distraire.

Dans les rêves, elle tend les bras depuis son cercueil pour montrer qu'elle n'est plus morte. Quelques jours plus tard, elle viendra s'asseoir à table, et là, tous vont l'interroger sur l'épisode de sa mort. Ne plus pouvoir vivre dans la pensée de cette femme qu'une plaque de marbre force à rester allongée dans la froideur souterraine. Cependant, il faut vivre. La terre a été recouverte d'une espèce de sable sur lequel on a provisoirement posé la pierre tombale. Ses jambes, ses bras, ses yeux, ses cheveux, ses épaules, vont perdre leur substance. Le nier tant que faire se peut jusque dans le sommeil profond. La certitude de la mort est la pire chose à laquelle on doive s'habituer, semble-t-il. Se souvenir de paroles qui peuvent donner du courage : « Regarde, le ciel est rose comme lorsqu'il va neiger ! » Alors, malgré la solitude dans laquelle ce qui vit est enfermé, devant un rideau de plantes vertes, tenter de plonger dans le gouffre lénifiant du sommeil désiré. Qu'arrive-t-il à la grand-mère morte laissée à son triste sort ?

Au matin, retrouver cette tristesse et la bannir encore. C'est un matin froid du mois de janvier. Dissimuler la peine sous des phrases aussi anodines que : « Qui voudrait du café ? » Apprendre à ignorer la douleur partagée tandis que des écureuils courent sur les clôtures. S'asseoir dans la cuisine. Regarder les fumées figées sous le ciel sans nuages. L'odeur du café et du pain grillé estompe un peu la représentation fugitive d'un cimetière qu'on n'imagine pas précisément. « Le café est servi ! » Mais tout naît et meurt ni vu ni connu ou presque. Avec le café brûlant, engloutir ces pensées navrantes. Chaque jour continue pourtant de les charrier. Feindre de les ignorer. Jeter le masque devant l'impuissance que les disparitions suscitent. Nul n'en sera jamais épargné.

Un accroc bien réparé, dans la vieille chemise de nuit, oblige à se souvenir de celle qui est désormais plongée dans l'inconnu. Tout s'achève sur des pentes imprévisibles. « La vie n'est qu'un passage sur terre », affirmait quelqu'un en commentant la triste nouvelle. C'est une parole qui se répercute de jour en jour, qui aide à foncer en aveugle vers des lendemains énigmatiques.

Destination connue ou inconnue

Comme l'ouragan, l'autoroute arrache de terre, enlève, emporte. Les déplacements en voiture impliquent une complicité entre la chair et la ferraille. Une synchronisation remarquable que les tunnels, éclairés par sections lumineuses de vers géants, aspirent, annulent.

Parfois, comme en rêve, tel l'écureuil volant, prendre son essor. Quitter les apparitions insolites de la rue Ontario : des murs sombres et placardés, l'inscription du mot affirmation en capitales noires sur une façade de brique, la vitrine de l'épicerie Jasmin, du club vidéo Esprit qui affiche triomphalement vingt-quatre heures d'activité par jour. Survoler les toits que domine le pont Jacques-Cartier. Apercevoir d'en haut les sentiers étroits de l'île Sainte-Hélène, plus ou moins écartés de la fine couche de glace qui court sur le fleuve. Ignorer qu'il va falloir tôt ou tard se poser, retomber, s'arrêter. Nier jusqu'au bout l'évidence que chaque périple mène forcément vers une destination

connue ou inconnue. Fuir et consommer si-
multanément le paradoxe de l'impuissance toute-
puissante. Essayer de se concentrer sur la blancheur de la neige fraîchement tombée. Chercher
à y lire la promesse d'un apaisement quelconque.

Ne pas pouvoir néanmoins se remettre sur
ses pieds à temps, caracoler, chanceler, avancer
frénétiquement comme une poule à la tête tran-
chée qui tente encore de s'échapper. Scruter
les environs pour se persuader que ces faux
pas ont échappé au spectateur potentiel. Car l'œil
de Dieu n'effraie plus, ne prend plus garde à
quoi que ce soit. Point n'est besoin de le bra-
ver puisqu'il semble avoir perdu toute espèce de
vision. Il y a déjà fort longtemps qu'il a négligé
de veiller sur le monde, on dirait. Certains, qui
sont tombés raides morts, l'ont compris. La
Providence ne protège plus rien, depuis la pousse
fragile jusqu'au cheval fringant, ni le tigre, ni la
tortue, ni l'oiseau.

Il faut l'apprendre. Faire connaissance avec
la solitude sans merci qui rend l'humain vulné-
rable mais fort. Certains l'ont compris. Ils dorment aujourd'hui sous le couvercle refermé du
cercueil, abandonnés à la froideur effrayante de
l'hiver. Nul ne leur portera plus secours. La
pression chaleureuse d'une main posée sur leur
épaule ne changerait rien à leur insoutenable
passivité.

Les morts s'en vont très vite
Le brouillard les emporte
Par des couloirs sans porte
Il aplatit leur rire
Leurs soupirs, leurs colères.

C'est ce qu'écrit Nicole Cartier-Bresson. Elle l'a proclamé bien haut, le vendredi 10 novembre 1989 à Paris. Pour conjurer le mauvais sort qui reprend toujours ce qui a un jour existé ? Lutter, refuser que les dés soient ainsi pipés n'a pas le pouvoir d'empêcher la magie morbide des cycles du vivant. C'est ce qu'enseigne l'observation du monde. Il faut renoncer à la consolation fondamentale et à l'espoir que chacun serait en droit d'attendre. À défaut de mieux, saisir l'urgence de s'habituer. L'endroit où se cache le piège reste mystérieux jusqu'à ce que la trappe se referme sur sa proie. Là, dès que le passage de la vie à la mort est franchi, dès qu'un cœur s'est arrêté de battre en basculant dans la fosse du trépas, on peut savoir avec certitude le jour, l'heure, l'endroit. En reconnaître, ahurie, la proximité accablante et, en vain, s'en souvenir à jamais.

Nuit noire

Ignorer ce mince croissant de lune qui habite le ciel de janvier. Ignorer ces rues et ces trottoirs débarrassés de la neige qui entretiennent l'illusion du printemps. Oublier qu'il fait plus de 0° dehors. Oublier la ville illuminée et multiple qui enferme une population diversifiée. Refermer la porte qui invite à se promener dehors. Chasser surtout la vision de ce mince croissant de lune autour duquel de nombreuses étoiles palpitent. Tirer les rideaux. Se concentrer sur l'intérieur. Surmonter les fardeaux du quotidien : faire les comptes, laver les planchers, ranger la vaisselle. Tourner le dos à la pile de lettres qui attendent. La correspondance s'est arrêtée, en suspens entre le désir de se propulser vers le dehors, enfin, et le besoin de rassembler ses énergies pour que la vie puisse continuer.

Ne plus savoir quoi faire de soi. Essayer de fermer les yeux. De se taire. Tout simplement.

Douche froide

Abandonner dans la douche l'odeur qui imprègne ses cheveux permanentés. Se laver en même temps du passé qui ne reviendra plus.

Anniversaires. Dix-huit ans de l'enfant dont on n'a pas encore pu oublier le passage glissant et rapide des épaules hors de soi-même. Tourner la page, cesser de dénier les cheveux qui blanchissent déjà.

Les gens meurent comme des mouches, retrouvent la relativité de leur nom de baptême qui semblera peu après fantaisiste, tel un nom de personnage, tel un nom fictif qu'on aurait accolé à une personne sans le lui demander. Le nom lui-même deviendra une entité abstraite qu'on pourra toujours évoquer, alors que la personne sera de plus en plus évanescente dans le registre du réel. L'une meurt dans l'eau, noyée en présence de ses enfants dans la mer des Caraïbes, un autre dans sa chambre, après avoir trop bu pendant des années, un autre dans une voiture de taxi. Destins pareillement absurdes.

Constat d'un immuable pareil au même en fin de course.

Laisser couler sur soi l'eau froide de la douche, plus longtemps que de raison, pendant que le corps vit encore. Pendant qu'il est encore temps de bouger, de respirer. De rire ? Rira bien qui pourra.

Les gens meurent comme des mouches. On meurt comme des mouches. On est tôt ou tard pareil à cette mouche qui s'immobilise une fois pour toutes. S'en souvenir. Se le redire pour être certain d'user de soi jusqu'à la corde. Afin de s'assurer que pour le moins, la chandelle condamnée d'avance aura été brûlée par ses deux bouts.

Laisser de l'eau froide couler sur soi pour s'habituer à la vérité sans équivoque de l'avenir. À ses secrets perçants. À son tracé inimaginable pourtant. Et pour sûr impitoyable.

S'attarder sous la douche. Faire durer un peu la conscience d'exister. Petit à petit, se rendre à l'évidence que la pleine possession de soi n'est qu'une promenade au-dessus du vide.

ROMAN, RÉCIT, NOUVELLE, CONTE

Germaine Beaulieu, *Sortie d'elle(s) mutante*
Louise Bouchard, *Les images*
Nicole Brossard, *Journal intime*
Berthelot Brunet, *Les hypocrites*
Berthelot Brunet, *Le mariage blanc d'Armandine*
Hugues Corriveau, *Les chevaux de Malaparte*
Michael Delisle, *Drame privé*
Roger Des Roches, *La jeune femme et la pornographie*
France Ducasse, *La double vie de Léonce et Léonil*
Marcel Godin, *La cruauté des faibles*
Jean Hamelin, *Les occasions profitables*
Jean Hamelin, *Un dos pour la pluie*
Monique LaRue, *La cohorte fictive*
Roger Magini, *Saint Cooperblack*
Roger Magini, *Un voyageur architecte*
Carole Massé, *Dieu*
Carole Massé, *L'existence*
Carole Massé, *Hommes*
Carole Massé, *Nobody*
Danielle Roger, *Que ferons-nous de nos corps étrangers?*
Jean-Yves Soucy, *La buse et l'araignée*
Jean-Yves Soucy, *Les chevaliers de la nuit*
Jean-Yves Soucy, *L'étranger au ballon rouge*
France Théoret, *L'homme qui peignait Staline*
France Théoret, *Nous parlerons comme on écrit*
France Théoret, *Une voix pour Odile*
Lise Vaillancourt, *Journal d'une obsédée*
Roger Viau, *Au milieu, la montagne*
Yolande Villemaire, *Ange amazone*
Yolande Villemaire, *Meurtres à blanc*
Yolande Villemaire, *La vie en prose*